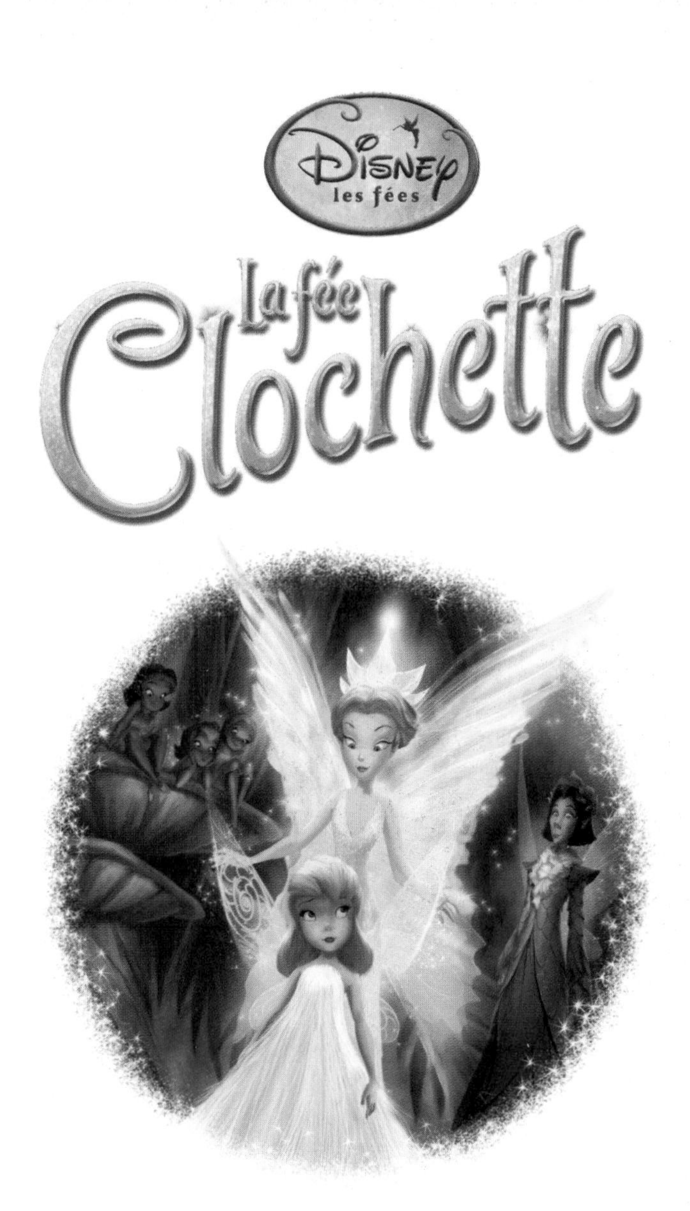

ÉDITIONS FRANCE LOISIRS

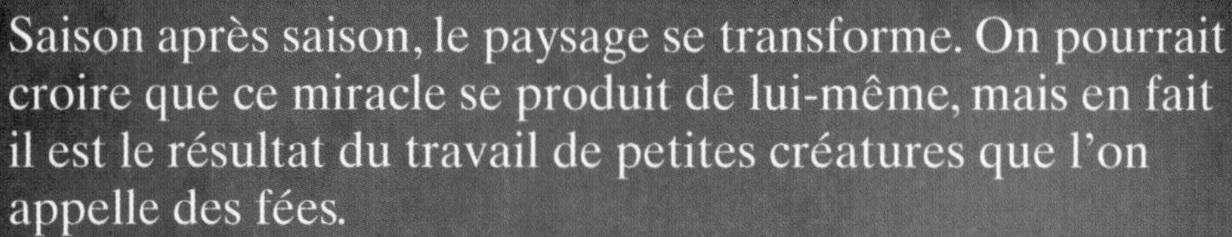

Saison après saison, le paysage se transforme. On pourrait croire que ce miracle se produit de lui-même, mais en fait il est le résultat du travail de petites créatures que l'on appelle des fées.
La vie de chaque fée commence avec le premier rire d'un bébé et, un jour d'hiver à Londres, un nouveau rire d'enfant s'éleva sous la forme d'un petit tourbillon…

Texte de Katherine Quenot,
illustrations de The Disney Storybook Artists.
Une édition du Club France Loisirs, Paris, avec l'autorisation de Disney
Éditions France Loisirs, 123, boulevard de Grenelle, Paris - www.franceloisirs.com

Le monde humain s'étendait en bas, magnifique et attirant, mais le temps était venu pour le petit rire de voler en direction de la deuxième étoile à sa droite, qu'il traversa dans une gerbe de lumière. De l'autre côté se trouvait un lieu merveilleux, une île magique où tout était possible : le Pays Imaginaire !

Le petit rire flotta jusqu'à l'île, gagnant de la vitesse à mesure qu'il s'approchait de Pixie Hollow, le pays des fées !

– Un petit effort, tu y es ! l'encouragèrent les créatures magiques qui volaient autour de lui.

Vidia, la plus rapide de toutes les Fées Voltigeuses, fit de l'air avec ses ailes pour pousser le petit rire jusqu'au magnifique Arbre à Poussière de Pixie Hollow.

Un empoudreur prénommé Terence recouvrit alors le rire avec de la poussière de Fées. Il prit aussitôt la forme d'une petite fée adorable. Celle-ci regardait avec émerveillement autour d'elle et se découvrait en même temps ! Elle aimait en particulier ses doigts qui tintinnabulaient et répandaient de la poussière de Fées à chacun de ses gestes.

La nouvelle fée leva les yeux sur la majestueuse Reine Clarion qui s'avançait :

– Bienvenue à Pixie Hollow ! la salua la Reine.

Sous le regard ravi des autres fées, elle aida la nouvelle venue à déployer ses ailes. Celle-ci se mit à les faire battre, d'abord prudemment, puis avec une confiance plus grande : elle pouvait voler !

Puis les fées commencèrent à apporter divers objets.
– Ces objets vont t'aider à trouver ton talent, expliqua la Reine. Écoute ton cœur, c'est tout.
La jeune fée s'avança timidement et plaça ses mains sur une fleur magnifique. Mais l'éclat de celle-ci diminua instantanément. La fée tendit alors la main vers une gouttelette d'eau, qui perdit également aussitôt son éclat.

La jeune fée continua à avancer sans rien oser toucher d'autre. Soudain, quelque chose d'étonnant se produisit. Un marteau près duquel elle passait vola de lui-même dans sa main !

– On dirait que notre petite fée possède un talent exceptionnel ! constata Rosélia.

Les yeux de Vidia lancèrent des éclairs. Elle estimait détenir le plus exceptionnel de tous les talents de Pixie Hollow !

– Accourez, Bricoleurs ! appela la Reine. Et accueillez Clochette parmi vous !
– Bonjour, Clochette, je suis Clark ! clama un gros homme-hirondelle avec des poils dans les oreilles.
– Tu es aussi belle qu'une casserole neuve ! claironna Gabble.
Là-dessus, les Bricoleurs entraînèrent la nouvelle venue pour une visite aérienne de Pixie Hollow.

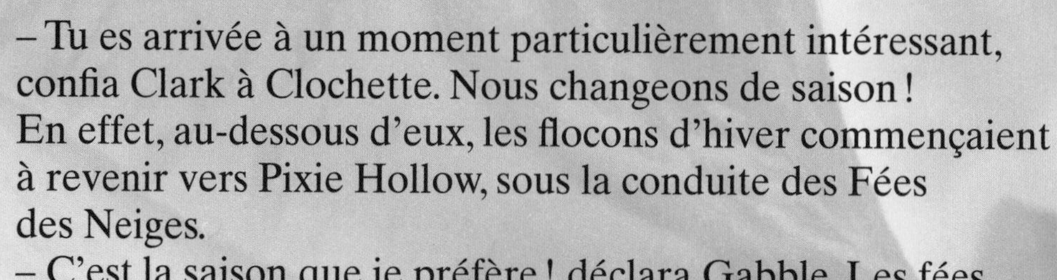

– Tu es arrivée à un moment particulièrement intéressant, confia Clark à Clochette. Nous changeons de saison !
En effet, au-dessous d'eux, les flocons d'hiver commençaient à revenir vers Pixie Hollow, sous la conduite des Fées des Neiges.
– C'est la saison que je préfère ! déclara Gabble. Les fées de chaque talent s'apprêtent à apporter le printemps dans le monde entier !

– Bienvenue dans l'atelier des Bricoleurs ! lança Gabble.
Clochette découvrit avec plaisir une jolie petite cour, bordée de maisonnettes construites en brindilles et en feuilles.
Elle adorait l'activité bruissante des fées, tandis qu'elles réparaient et façonnaient toutes sortes d'objets étranges et utiles. Les Bricoleurs semblaient tellement adroits et astucieux !

– Voici ta maison, annonça Clark en montrant du doigt une adorable petite habitation nichée dans un trou d'arbre. Les deux amis laissèrent Clochette pour qu'elle enfile ses vêtements de travail. Ils étaient beaucoup trop grands, mais Clochette sut parfaitement les retailler : elle se découpa une robe sur mesure dans les feuilles !

Puis Clochette se présenta à Fée Marie, la fée très sérieuse qui supervisait le travail des Bricoleurs. Elle venait voir si Gabble et Clark avaient réparé le chariot de livraison.

– Ah ! s'exclama-t-elle. Une nouvelle recrue ! Oh, comme tes mains sont délicates ! Ne t'inquiète pas, ma chérie, tu auras vite de vraies mains musclées de Bricoleuse.

Peu après, Clochette, Clark et Gabble étaient en chemin pour livrer leurs marchandises.
Clochette était intriguée par de drôles de tubes destinés à Iridessa :
– Que comptes-tu en faire ? lui demanda-t-elle.
La Fée des Lumières lui expliqua qu'elle s'en servait pour y ranger des arcs-en-ciel qu'elle apportait dans l'Autre Monde. C'était là que vivaient les humains, et que les fées se rendraient bientôt pour y changer la saison…

Puis les Bricoleurs rencontrèrent Vidia.
– Salut ! dit Clochette à Vidia. Quel est ton talent ?
– Je fabrique les brises l'été et fais tomber les feuilles à l'automne, répondit Vidia avec hauteur. Les fées de tous les talents dépendent de moi !
– Quand j'irai dans l'Autre Monde, je te prouverai l'importance des Bricoleurs ! répliqua Clochette.

Un peu plus tard, un objet brillant sur la plage attira l'attention de Clochette. En s'approchant pour l'examiner, elle découvrit une pièce de monnaie à moitié enfouie dans le sable. Puis elle trouva d'autres objets tout aussi passionnants. La petite fée les trouvait magnifiques ! Elle les empila et les emporta avec elle pour les montrer à Clark et Gabble.

– Ils échouent sur la rive du Pays Imaginaire de temps à autre, expliqua Gabble. On ne peut pas en faire grand-chose.
Fée Marie approuva et fit disparaître les babioles. Ce soir, la Reine passait en revue les préparations de printemps et il y avait encore beaucoup à faire. Clochette savait que c'était pour elle l'occasion de montrer à Vidia l'importance du talent de Bricoleuse…

– Vous allez constater que nous avons les choses bien en main, annonça le Ministre du Printemps à la Reine.
À ce moment, Clochette arriva sur le chariot des Bricoleurs.
– Reine Clarion ! s'écria-t-elle. J'ai découvert des objets que les Bricoleurs pourront utiliser quand ils se rendront dans l'Autre Monde !
– Mais, Clochette, les Bricoleurs ne vont pas dans l'Autre Monde, répondit gentiment la Reine.

Clochette retourna à l'atelier en grommelant.
– Être Bricoleuse, c'est nul, dit-elle.
– Qu'y a-t-il ? sursauta Marie.
– Pourquoi est-ce que nous n'allons pas chez les hommes ? demanda Clochette.
– Le jour où tu parviendras à faire grandir magiquement les fleurs ou à attraper des rayons de soleil, tu pourras y aller ! répondit Fée Marie avec impatience.

Le matin suivant, Clochette rejoignit ses nouvelles amies au Puits à Poussière.
– Si vous pouviez m'enseigner vos talents, dit-elle, alors peut-être la Reine me laisserait-elle aller dans l'Autre Monde pour le printemps ! Ce que je demande, c'est qu'on me donne ma chance…
Les fées se laissèrent convaincre.
– Il y a un début à tout, ma foi, déclara Rosélia.

Ondine montra à Clochette comment soulever une goutte de rosée de l'étang pour aller la poser ensuite sur une toile d'araignée. Mais, chaque fois, la goutte de rosée éclatait avant que Clochette ne parvienne à destination…
– Est-ce que je m'y prends mal ? demanda Clochette.
– Oui, admit Ondine. Mais si tu n'es pas une Fée des Eaux, cela veut probablement dire que tu es une Fée des Lumières !

Le soir, Iridessa donna une leçon à Clochette. Elle prit un peu de lumière dans sa main, puis en dispersa une poignée dans les airs. Des douzaines de lucioles y allumèrent leur arrière-train.

Non seulement Clochette ne parvint à rien, mais elle se mit à luire comme une luciole ! Aussitôt, les insectes se lancèrent à ses trousses.

– Enfuis-toi, Clochette ! cria Iridessa.

Fée Marie avait appris ce que Clochette avait essayé de faire et elle en était très déçue.
– Je mettais tant d'espoir en toi ! fit doucement la vénérable fée.
– Mais je ne veux pas n'être qu'une Bricoleuse toute ma vie ! répliqua Clochette. Je veux… Non, je veux dire…, se ravisa la fée, désolée d'avoir été blessante. Excusez-moi, il faut que j'y aille !

Clochette leva les yeux et vit alors un oiseau majestueux s'élever dans le ciel. Il volait si bien ! Peut-être pourrait-il lui donner une leçon…
– Eh, toi, là-bas ! cria-t-elle.
– Faucon ! hurlèrent les Fées Éclaireuses.
Vite, toutes les fées qui se trouvaient dans les parages s'abritèrent. L'oiseau gigantesque piqua sur Clochette !

Clochette tenta de semer le faucon en zigzaguant
à toute allure entre les troncs et les branches.
Soudain, elle remarqua un arbre creux et y plongea.
Mais quelqu'un lui saisit les ailes par-derrière.
– C'est ma cachette ! gronda Vidia.
CRAC ! le faucon perça l'écorce avec son bec.
Les fées s'échappèrent, mais le faucon fondit
sur elles, le bec grand ouvert.

Heureusement, les autres fées bombardèrent l'oiseau de baies et de petits cailloux, et celui-ci s'éloigna.
– Laisse-moi t'aider, proposa Clochette à Vidia qui gisait par terre, les cheveux en désordre.
– Ne me touche pas ! cingla Vidia.
– Je voulais juste essayer de t'aider, répondit Clochette.
– Eh bien, arrête d'essayer, grinça Vidia.

Clochette alla s'asseoir sur la plage, plus mélancolique que jamais, quand, soudain, elle découvrit une magnifique boîte en porcelaine échouée sur le sable.
– Quel désordre ! soupira-t-elle devant l'incroyable bric-à-brac de ressorts, de roues dentées et de bielles que contenait la boîte.
D'autres pièces jonchaient le sol. Clochette les ramassa et se mit aussitôt au travail.

Cachées dans l’arbre, les amies de Clochette l’observaient à son insu. Son habileté les stupéfiait.
Clochette repéra une dernière pièce cachée dans un buisson. C’était une tige en laiton portant une ravissante ballerine en porcelaine. Elle l’ajusta dans l’orifice du couvercle et fit tourner la danseuse. À son émerveillement, la boîte se mit à jouer de la musique !

Les amies de Clochette surgirent de leur cachette.
– Est-ce que tu te rends compte de ce que tu as fait ? lui demanda Rosélia. Fabriquer de jolis objets, les réparer : voilà ce que j'appelle l'art de bricoler !
– Est-il possible que tu n'aimes pas faire ça ? renchérit Iridessa.
– Est-ce que vous essayez de me faire renoncer aux autres talents ? les interrompit Clochette avec colère.

Désespérée, Clochette alla rendre visite à Vidia, dont le talent était si exceptionnel. Mais celle-ci n'était pas du tout d'humeur à recevoir de visite, et encore moins celle de Clochette…

– Tu es mon dernier espoir ! implora Clochette.

Soudain, la perfide Vidia eut une idée. Elle suggéra à Clochette de capturer des Chardons sauvages pour prouver qu'elle était une Fée des Jardins.

Clochette se dit que c'était sa dernière chance.
– Hue ! cria-t-elle en déboulant dans le pré des Aiguilles à cheval sur la souris Gruyère.
Elle se servit de deux brindilles pour conduire un couple de chardons jusque dans l'enclos. Mais, alors qu'elle sortait du pré après avoir enfermé ses chardons, la méchante Vidia fit s'ouvrir la barrière d'une bourrasque…

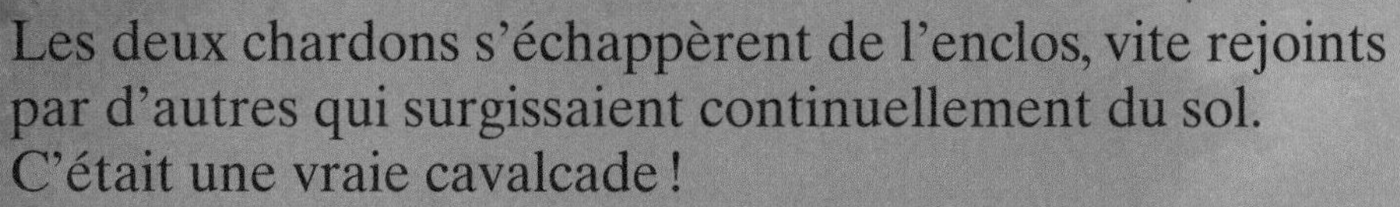

Les deux chardons s'échappèrent de l'enclos, vite rejoints par d'autres qui surgissaient continuellement du sol. C'était une vraie cavalcade !

– Attendez, revenez ! s'égosillait Clochette, en vain.

Le troupeau de chardons se dirigea vers la Clairière enchantée, où ils dispersèrent et écrasèrent les préparatifs pour le printemps. Tout fut détruit !

– Nous allons devoir annuler le printemps ou tout du moins le reporter, déclara le Ministre du Printemps.
– Et remettre au travail mes Fées des Neiges ? protesta la Ministre de l'Hiver.
– Fée Marie, demanda la Reine, serait-il possible de tout refaire dans un temps si court ?
Fée Marie manipula les graines de son boulier.
– Non, répondit-elle d'un ton définitif.

Décidée à partir, Clochette alla voir Terence pour obtenir une réserve de poussière. Celui-ci était étonné qu'elle connaisse son nom.
– Sans toi, ce monde serait privé de magie, lui fit remarquer la fée. Tu devrais être fier de ton talent !
– J'en suis fier ! répondit Terence.
Clochette se sentit un peu embarrassée. Terence savait sans doute que ce n'était pas son cas…

Clochette fit un crochet par l'atelier des Bricoleurs avant de partir. Elle devait bien reconnaître qu'elle aimait bricoler. Sous une bâche, elle découvrit les trésors qu'elle avait rapportés de la plage.

– Des objets perdus… Mais oui ! s'exclama-t-elle en les transportant à son établi.

Ils ne seraient peut-être pas perdus pour tout le monde ! Et Clochette décida de rester encore un peu.

Cette nuit-là, la Reine annonça aux fées qu'il n'y aurait pas de printemps cette année.

– Attendez ! cria Clochette en apparaissant. Je connais le moyen de tout réparer !

Mais c'est alors que Vidia, jalouse de son succès, reprocha à Clochette d'avoir fait s'échapper les chardons…

– Ton remarquable talent de Voltigeuse aurait dû te permettre de les ramener ! lui répondit la Reine sévèrement.

– Es-tu certaine de pouvoir le faire ? demanda la Reine à Clochette.
– Oui, mais pas toute seule !
Aussitôt, les Bricoleurs et toutes les autres fées se mirent aux ordres de Clochette.
– Rapportez-moi toutes les brindilles de toutes les tailles que vous pourrez trouver et de la sève d'arbre, commanda Clochette. Et, surtout, il nous faut trouver beaucoup d'objets perdus !

Clochette montra aux fées comment construire
une machine à fabriquer de la peinture de framboises
et de myrtilles. Maintenant, son invention était prête
à être essayée.
– Remplissez-la de baies et en un rien de temps
nous obtiendrons de la peinture, indiqua-t-elle.
SPLASH ! d'un tour de roue, des douzaines de seaux
furent remplis jusqu'au bord !

Ensuite, Clochette fabriqua des pulvérisateurs avec ses matériaux de récupération, puis elle ordonna à Noa et à Ondine de se mettre au travail sur les coccinelles. Noa les pulvérisait en rouge, puis elle les passait à Ondine, qui leur appliquait des points noirs. Quelques secondes suffisaient pour peindre une coccinelle, et elles étaient toutes parfaites !

Tôt le matin suivant, la Reine Clarion et ses ministres apparurent. Ils n'en croyaient pas leurs yeux. Devant eux se trouvait la plus grande quantité d'articles de printemps qu'ils avaient jamais vue !
– À vos places ! ordonna gaiement le Ministre du Printemps.
– Tu as réussi, Clochette ! la félicita la Reine Clarion.
– Nous avons tous réussi, répondit Clochette.

– Reine Clarion, commença Ondine, est-ce que Clochette pourrait venir avec nous dans l'Autre Monde ?
– Elle a tant fait pour nous ! appuya Noa.
– Mais non, protesta Clochette. Mon travail est ici…
– Je ne suis pas de cet avis, mademoiselle, répliqua Fée Marie sévèrement.
Clochette se troubla :
– Mais pour… pourquoi ? bredouilla-t-elle.

Au coup de sifflet de Fée Marie, Clark et Gabble apportèrent la boîte à musique de Clochette.

– Je l'avais trouvée moi-même il y a bien longtemps, expliqua Fée Marie, mais je n'avais aucune idée de comment la réparer. Clochette, j'imagine qu'il y a quelque part dans l'Autre Monde une personne à qui cette boîte à musique manque… Peut-être qu'une certaine Bricoleuse pourrait la lui rapporter !

Quand la procession des fées parvint dans l'Autre Monde, elles constatèrent qu'elles avaient beaucoup de travail. Il faisait froid et le pays était gris et nu.
– Des fées vers le nord, d'autres vers le sud, l'est et l'ouest ! commanda Monsieur le Ministre.
Les fées prirent leur envol, déposant sur leur passage les petits miracles du printemps.

Petit à petit, le monde se remplit de couleurs, de lumières et de vie. Une Fée des Lumières fit fondre le givre sur une branche d'arbre. Saupoudrées de poussière de Fées, les fleurs s'épanouirent. Un arc-en-ciel étincelant traversa le ciel. Des oisillons prirent leur envol ! Clochette s'émerveillait du talent de ses amies et de la beauté qu'elles apportaient au monde.

Clochette saupoudra de poussière magique la boîte à musique et se mit à sillonner la ville avec l'objet pour retrouver son propriétaire. Soudain, tandis qu'elle passait devant une fenêtre, la boîte à musique et Clochette se mirent à luire ensemble. La fée avait trouvé l'endroit ! Elle posa doucement la boîte à musique sur le rebord de la fenêtre et attendit…

Bientôt, une petite fille du nom de Wendy Darling entra dans la pièce. Elle poussa un cri de joie en découvrant son trésor perdu depuis si longtemps !
Cachée non loin, Clochette gloussa de plaisir. Wendy leva la tête. N'avait-elle pas entendu un faible tintement de cloches dehors ? Elle ne vit rien, mais une sorte de magie semblait flotter dans l'air…

Le travail des fées était terminé. Il était temps pour elles de retourner au Pays Imaginaire, du moins pour le moment. Clochette avait adoré découvrir l'Autre Monde, si beau et si étrange, mais elle avait maintenant hâte de retourner vivre au Pays Imaginaire…

De ce jour, Clochette employa son talent formidable pour rendre la vie de chacun encore plus agréable à Pixie Hollow. Un fer à cheval pour y faire pousser des plantes grimpantes, un petit bout de verre transformé en joli miroir, une cuillère tirée par un colibri pour faire du ski nautique, et même une tasse à thé transformée en baignoire à bulles pour Fée Marie !

En fait, elle adorait être une Bricoleuse !

Imprimé en France par PPO.
N° d'éditeur : 57260 - Dépôt légal : octobre 2008
ISBN 978-2-298-01730-4
Loi n° 49-956 du 16 juillet 1949 sur les publications
destinées à la jeunesse.